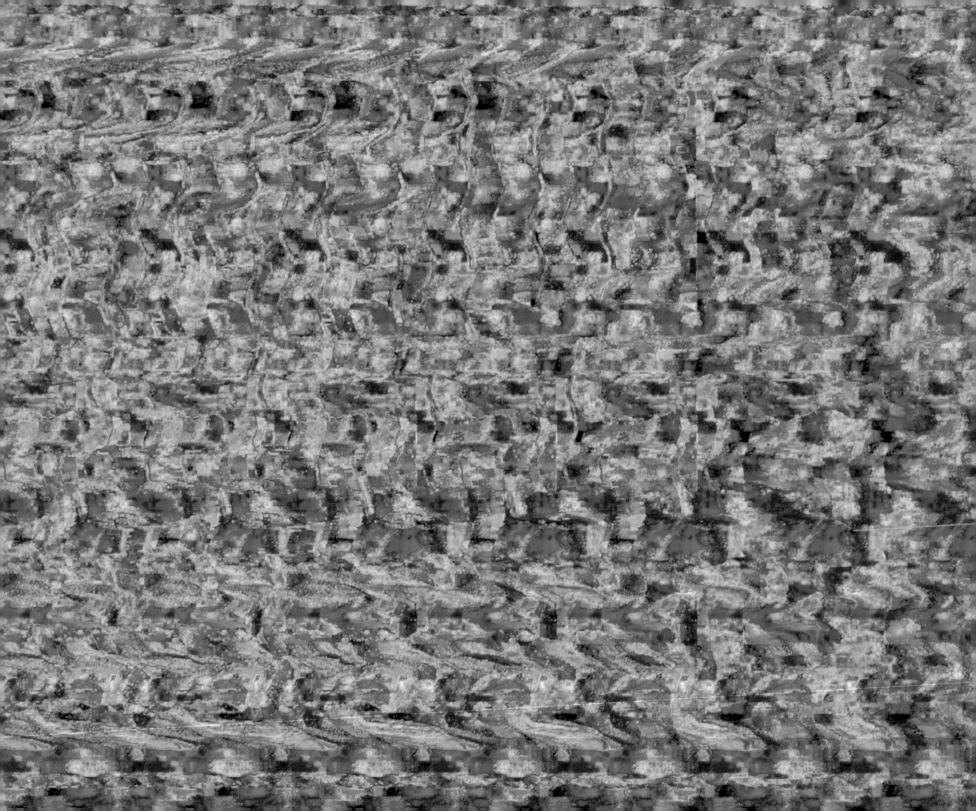

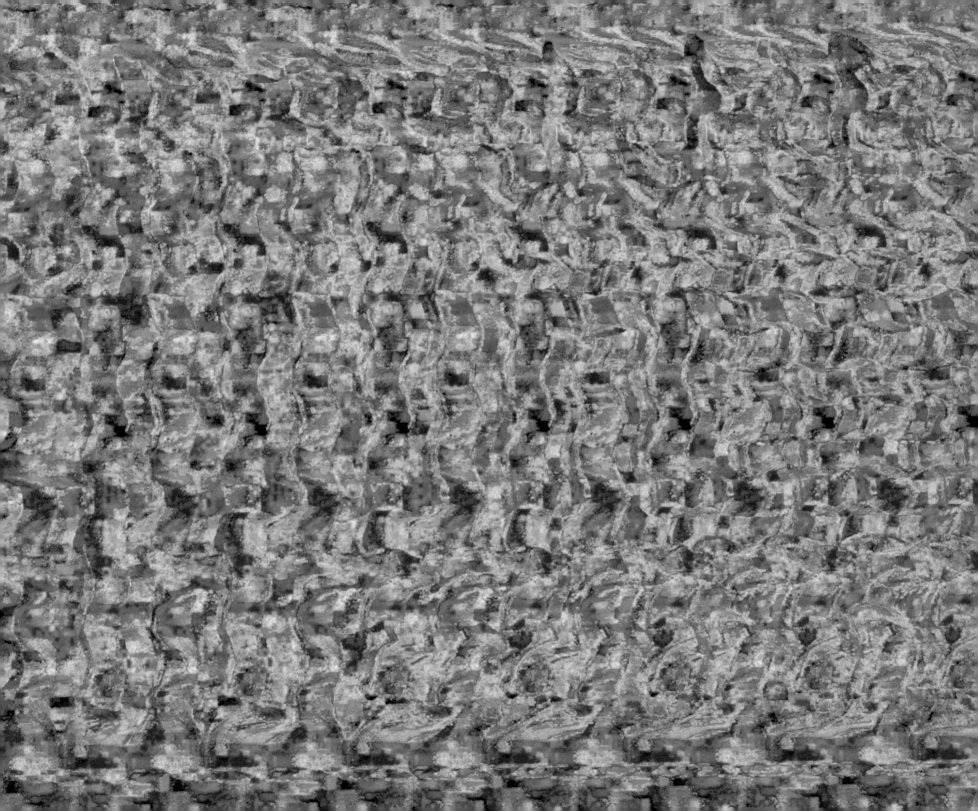

L'OEIL MAGIQUE II

Une nouvelle façon de voir le monde

Les images tridimensionnelles par N.E. Thing Enterprises

LES ÉDITIONS SCHOLASTIC

Pour toute information concernant les droits s'adresser à : Andrews and McMeel, a Universal Press Syndicate Company, 4900 Main Street, Kansas City, MO 64112.

ISBN 0-590-24506-6
Titre original : Magic Eye II
Publié en exclusivité en Amérique du Nord par les éditions Scholastic, 123, Newkirk Road, Richmond Hill (Ontario) L4C 3G5 avec la permission des Éditions JA&T. Paris.

PRÉFACE

Dans la foulée de l'énorme succès que rencontre *L'œil magique*, voici un deuxième livre plus étonnant encore! De nouvelles images, d'un relief saisissant, vous apparaîtront dans ce volume. Bienvenue donc, dans la troisième dimension! Ces images vous emmèneront dans un monde fantastique, plein de couleurs et de fantaisie, qui révélera en vous des capacités jusque là insoupçonnées. L'illusion créée à l'aide d'ordinateurs vous entraînera dans une aventure passionnante. Pour y parvenir, aucune capacité particulière n'est requise. Vous n'avez pas besoin, non plus, d'un équipement spécial (lunettes) pour percevoir une image tridimensionnelle. Et le papier sur lequel est imprimé ce livre est tout à fait ordinaire.

Certaines images de ce livre nécessitent néanmoins quelques explications, car elles sont plus difficiles à voir ou à comprendre que les autres. Mais quand vous y arriverez, quel enchantement!

Page 5 : Le cône aux couleurs fuyantes. Au fur et à mesure que votre œil voit apparaître l'image d'un cône du dessus, les couleurs fusionnent dans votre cerveau et disparaissent! L'image vous apparaît alors en gris et noir. Puis les couleurs reviennent quand vous revenez à votre vision normale.

Page 6 : La sphère transparente. Vous voyez d'abord apparaître une demi-sphère en relief faite de mailles tricotées. Regardez au centre de cette sphère. Apparaît alors une sphère complète et transparente dont vous voyez l'intérieur de la paroi. Et derrière cette première sphère, une deuxième sphère se dessine!

Page 27 : La tapisserie à deux et trois épaisseurs. Dans la partie supérieure de l'image, deux réseaux de fils se rejoignent et s'entrecroisent. Dans la partie inférieure, trois réseaux plus serrés se mélangent en s'avançant vers vous. Et en faisant diverger votre regard, les réseaux se chevauchent différemment.

Les images de ce livre ne sont pas classées par ordre croissant de difficultés. Il y a cependant quelques pages dans lesquelles aucune image cachée n'est à découvrir. En les regardant correctement, les objets représentés en plusieurs exemplaires semblent flotter dans l'espace à des distances différentes. Ces effets apparaissent dans les pages 8 et 28. Ils seront plus faciles à observer pour les débutants que les images contenant un motif caché. Les dernières pages du livre vous montrent les images que vous voyez apparaître dès que votre *œil magique* s'ouvre et que vous êtes un peu entraîné.

J'aimerais maintenant remercier tout particulièrement Cheri Smith et Andy Paraskevas pour leur collaboration. Sans eux, l'aventure de *L'œil magique* n'aurait pas été possible. Je voudrais également remercier Lynn Door, Dana Finnegan, Iren Rice, Sue Thiebault, Clint

Baker et Erik De Witt, qui sont tous des membres irremplaçables de l'équipe de N.E. Thing Enterprises.

Et maintenant, à vous de découvrir ces images en relief! Ouvrez grand votre *œil magique* et partez à la découverte d'un monde fascinant en trois dimensions.

—Tom Baccei
—janvier 1994

LES TECHNIQUES DE VISION

Apprendre à voir avec votre oeil magique est un peu comme apprendre à faire de la bicyclette. Une fois que vous avez pris le coup, cela devient de plus en plus facile. Si possible essayez d'apprendre à utiliser votre oeil magique dans un endroit et à un moment à la fois calme et reposant. Il est difficile, pour la plupart d'entre nous, d'avoir une expérience tridimensionnelle profonde si nous sommes en même temps préoccupés par les agitations de la vie. Vous vous sentirez sûrement un peu ridicule et soucieux de réussir tandis que les autres vous initient ou vous regardent en train d'apprendre. Bien que l'oeil magique soit très divertissant sur votre lieu de travail ou dans les lieux publics, ce ne sont pas vraiment les meilleurs endroits pour apprendre. Si vous n'y parvenez pas dans les premières minutes, recommencez plus tard plus calmement. Et si cela vous est difficile, rappelez-vous que la Petite Fée ne vous a pas oublié. On y arrive rarement en un clin d'oeil. Presque tout le monde affirme que l'effort en valait la peine.

Dans tous les dessins de l'oeil magique vous remarquerez un motif répétitif. Afin de voir une vision magique, il y a deux choses à faire. Premièrement, un oeil doit se fixer sur un point de l'image tandis que l'autre oeil regarde le même type de point dans le motif suivant.

Deuxièmement, vous devez garder vos yeux dans cette position assez longtemps pour que la merveilleuse structure du cerveau puisse recevoir l'information tridimensionnelle. Celle-ci a été conçue avec des motifs répétitifs par nos ordinateurs.

Il y a deux manières de voir les images tridimensionnelles : loucher ou écarter les yeux (strabisme convergent ou divergent). Vous louchez lorsque vous fixez un point entre vos yeux et une image. Vous écartez vos yeux lorsque vous regardez un point au-delà de l'image.

Toutes nos images sont construites pour être vues en écartant les yeux. On peut également les voir en louchant, mais toutes les informations vous parviennent alors à l'envers, (si vous essayez, nous vous garantissons que vous ne resterez pas bloqués!) Si nous avions l'intention de vous montrer un avion volant devant un nuage, avec la méthode des yeux écartés, vous verriez, si vous utilisez la méthode des yeux qui louchent, un trou ayant la forme d'un avion dans un nuage.

Une fois que vous avez utilisé une méthode, utilisez l'autre. C'est amusant, mais on préfère toujours l'une ou l'autre des méthodes.

Nous pensons que, le plus souvent, la méthode des yeux écartés est la plus utilisée.

Un autre «truc» consiste à faire diverger les yeux deux fois plus loin que nécessaire. Dans ce cas, une vision étrange et plus complexe de l'objet projeté est observée. (D'ailleurs, si vous faites diverger vos yeux tout en vous regardant dans un miroir, vous pouvez découvrir votre «troisième oeil»... du moins c'est ce que l'on nous a dit dans un courrier! Mais vous devez rester bien des heures devant votre miroir. Rappelez-vous : nous avons dit qu'il n'y avait aucun danger).

Un dernier mot avant de commencer : bien que cette technique soit sans danger et même potentiellement bonne pour vos yeux, n'en faites pas trop. Fatiguer vos yeux n'arrangera rien et peut même devenir gênant. Ceci n'est pas la bonne méthode. Demandez à n'importe qui de vous aider (votre neveu ou le livreur). Ils y arriveront probablement en dix secondes. le secret est la relaxation, puis laissez l'image venir à vous.

MÉTHODE N°1

Mettez l'image contre votre nez (sans tenir compte des moqueries autour de vous). Laissez aller vos yeux et fixez vaguement l'espace, comme si vous regardiez à travers l'image. Relaxez-vous et faites en sorte que l'idée d'observer l'image soit agréable, sans la regarder. Quand vous vous sentez bien et que vous ne louchez pas, éloignez *doucement* le livre de votre visage de trois centimètres environ toutes les trois secondes. Continuez à regarder au-delà de la page. Arrêtez-vous à une distance de la lecture confortable et ne bougez plus les yeux. Le maximum de concentration est nécessaire quand vous sentez que cela «arrive» car, à ce moment-là, instinctivement, vous allez vouloir «regarder» l'image plutôt que de regarder à travers celle-ci. Si vous la «regardez» seulement, recommencez.

MÉTHODE N°2

La couverture de ce livre est brillante. Tenez-la sous la lumière pour obtenir un point lumineux. Regardez tout simplement l'objet que vous voyez en reflet et continuez à le fixer. Après quelques secondes, vous verrez une profondeur, suivie d'une image en trois dimensions, qui se développera presque comme une photo instantanée!

Les images de ce livre sont classées par difficultés croissantes. Les dernières pages du livre vous font entrevoir les solutions des images tridimensionnelles que vous obtiendrez après avoir entraîné votre *œil magique*.

Les trois premières images du livre ne contiennent pas d'image cachée. Vous y découvrirez plutôt des répétitions d'objets qui vous donneront l'impression de flotter sur plusieurs plans. Pour beaucoup, elles seront plus faciles à voir que les autres images.

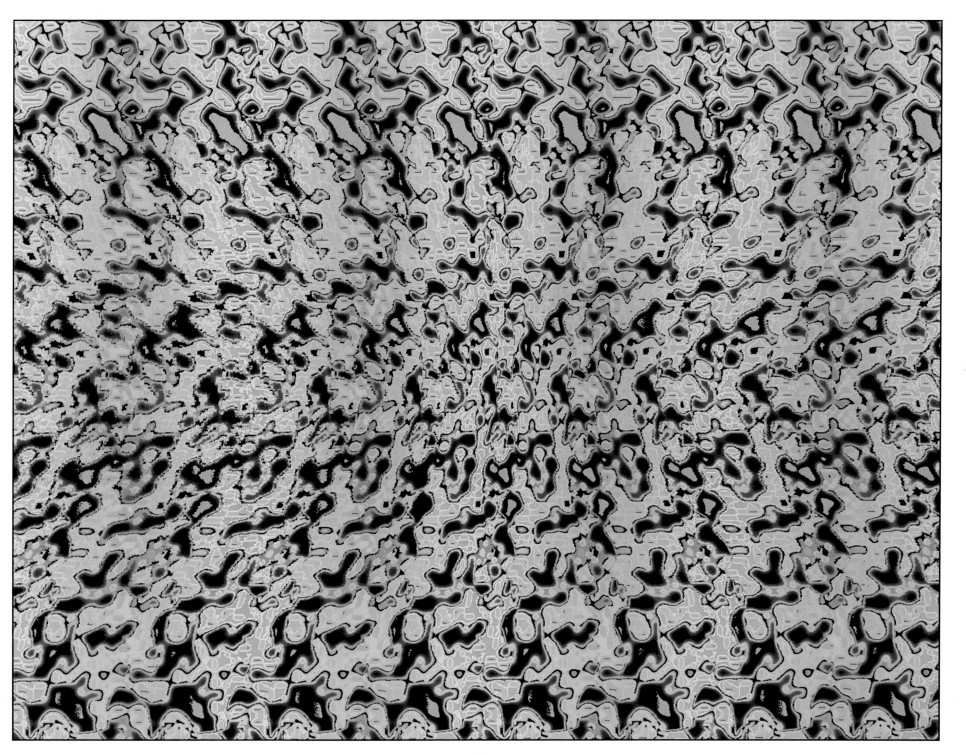

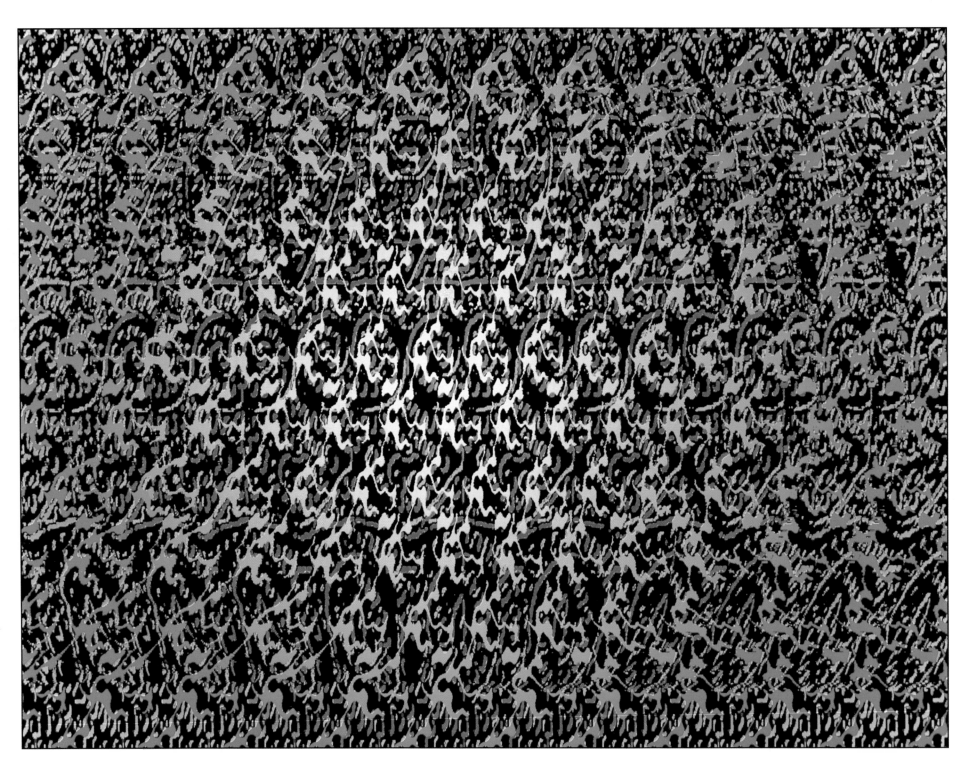

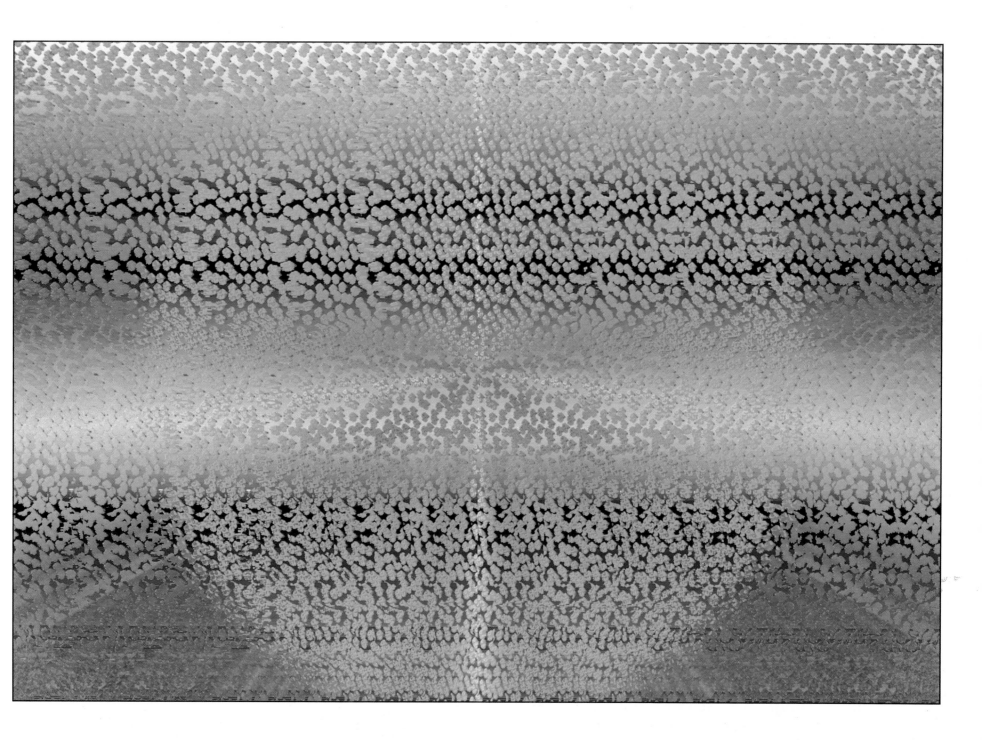

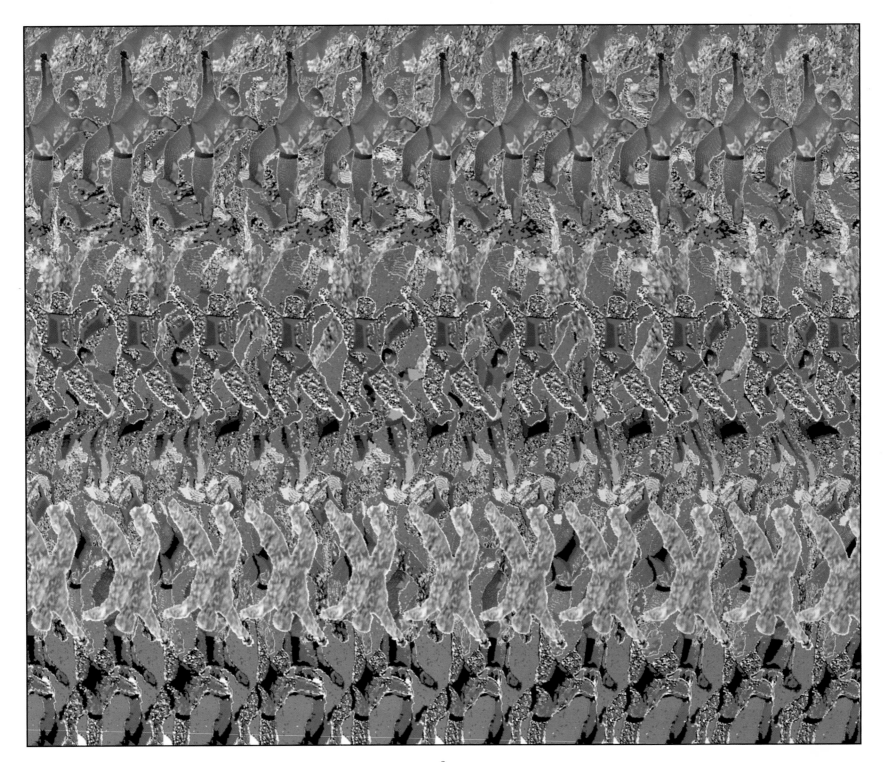

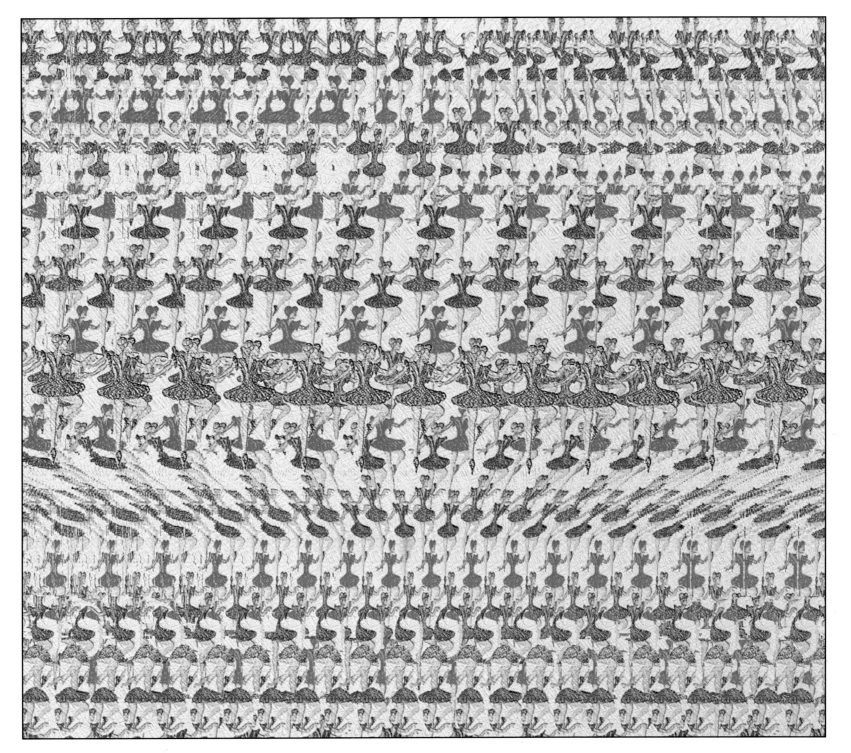

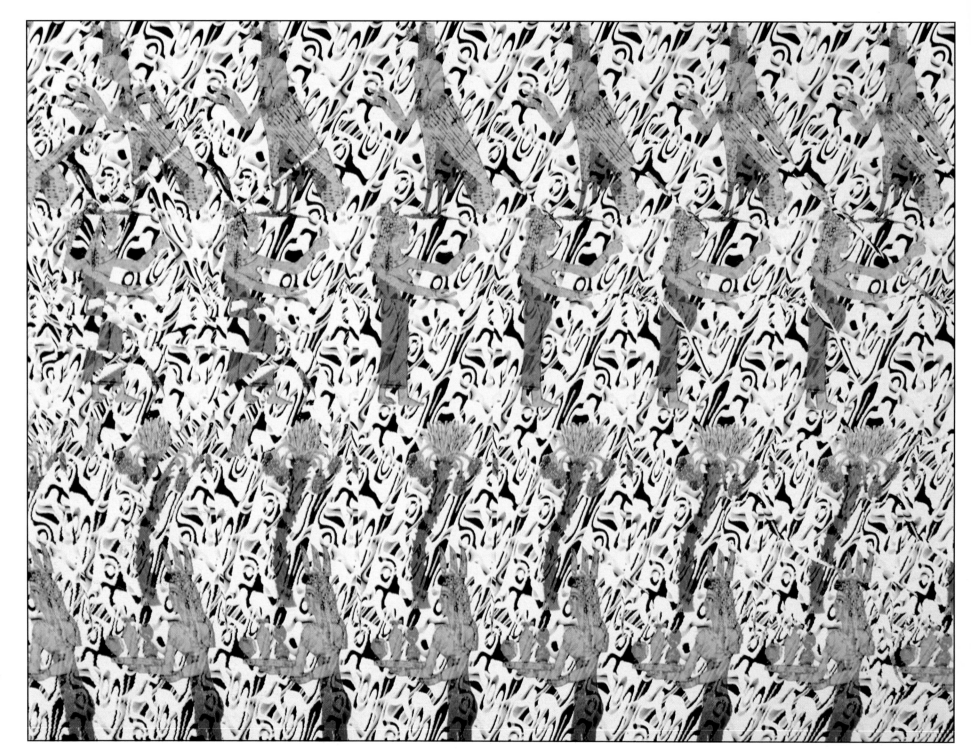

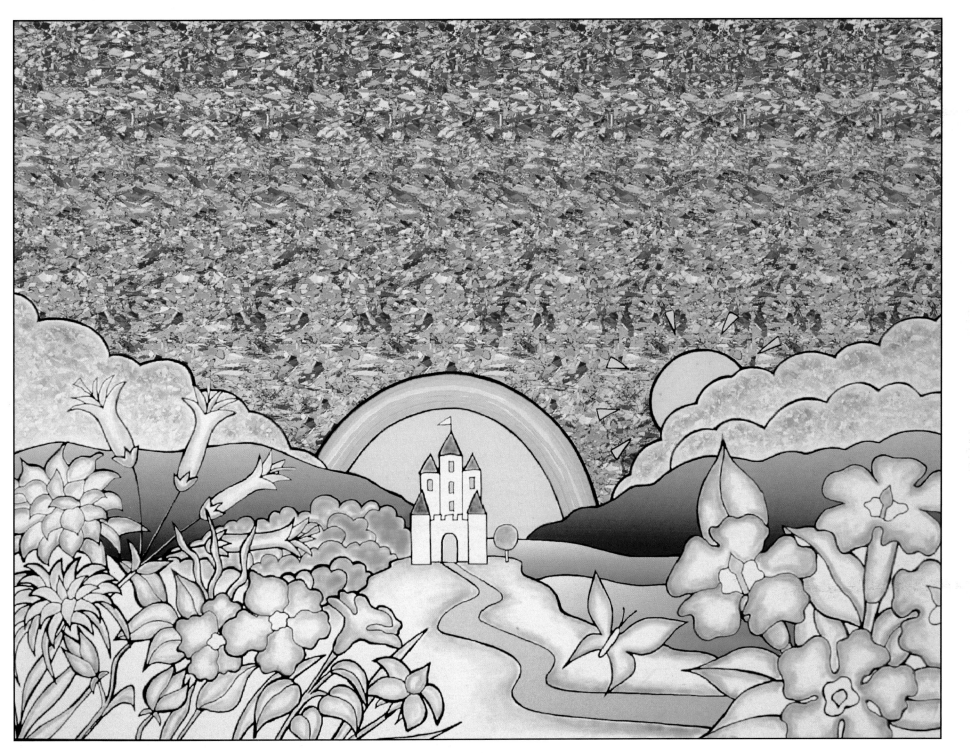

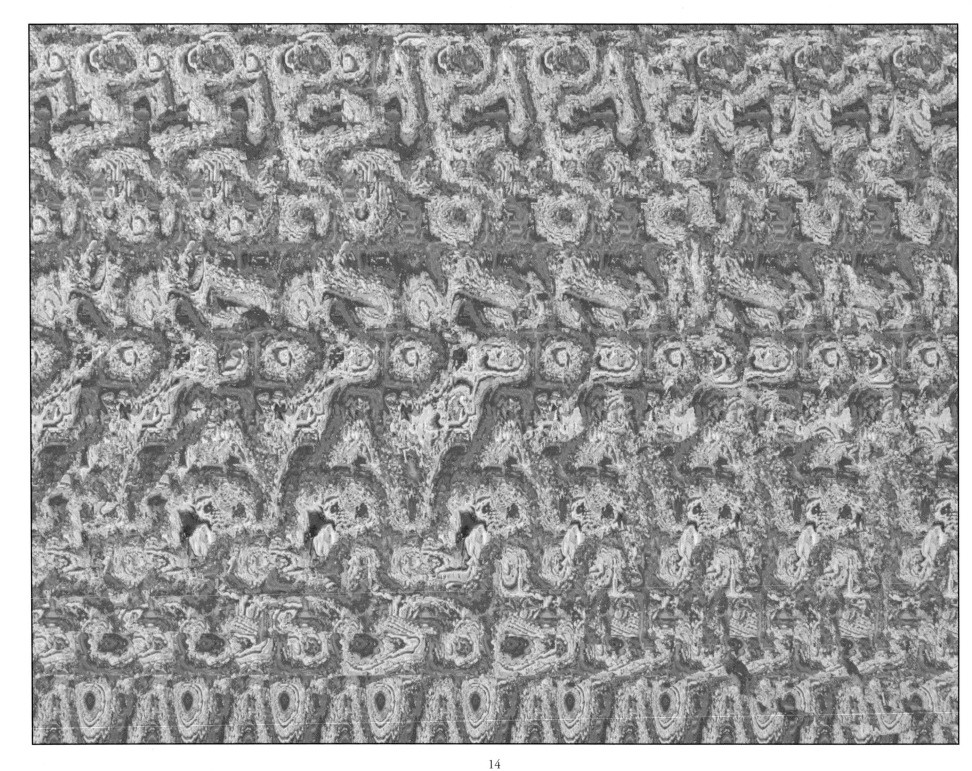

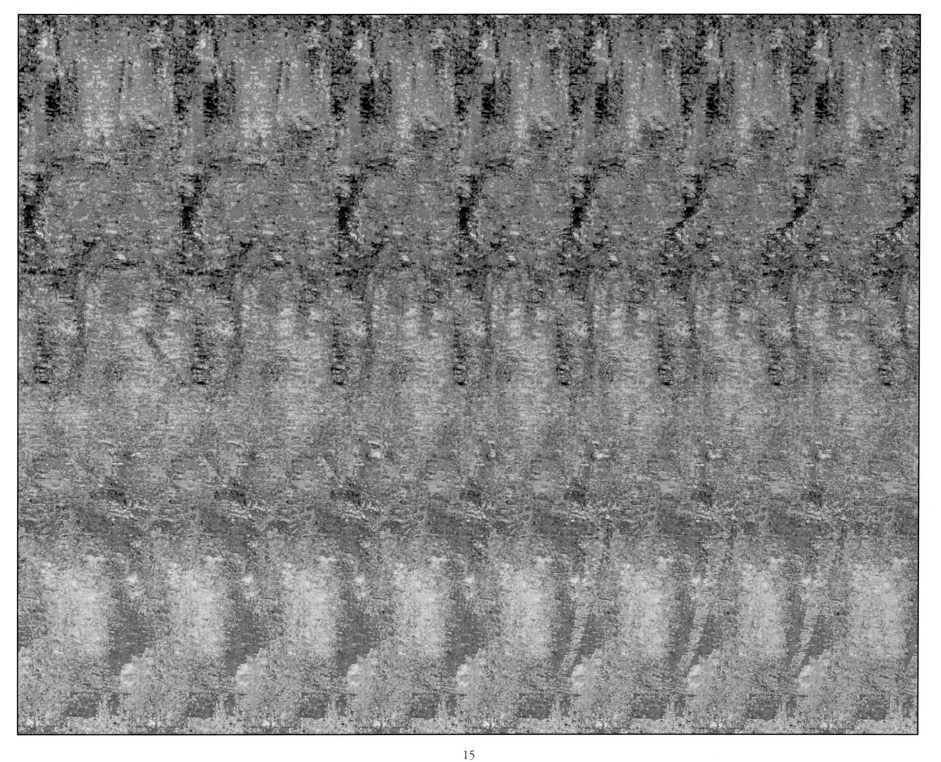

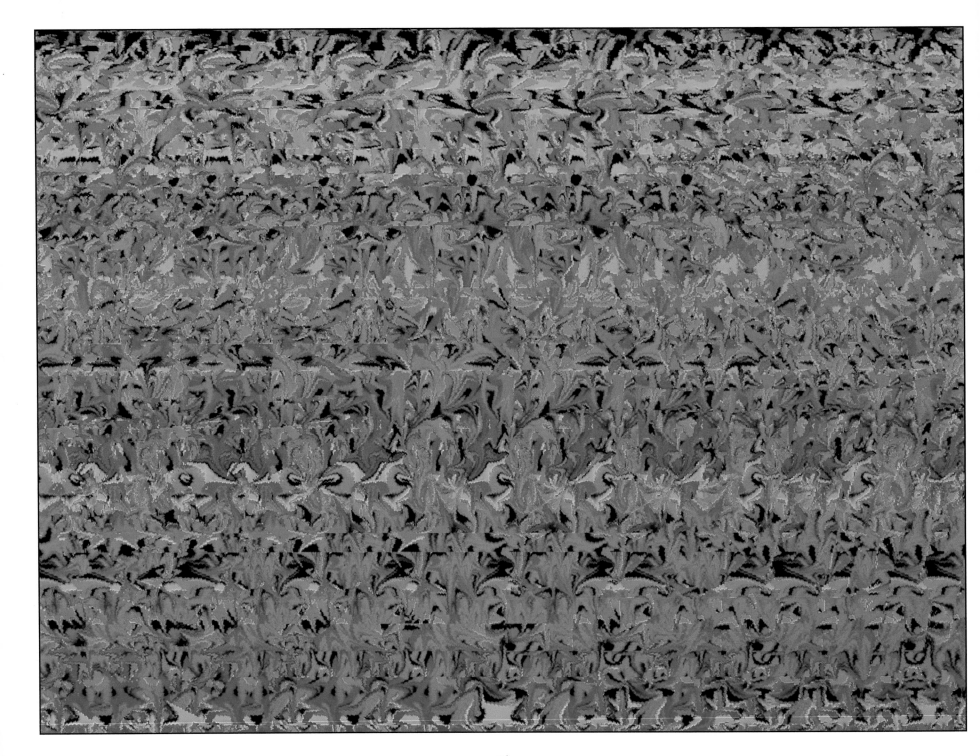

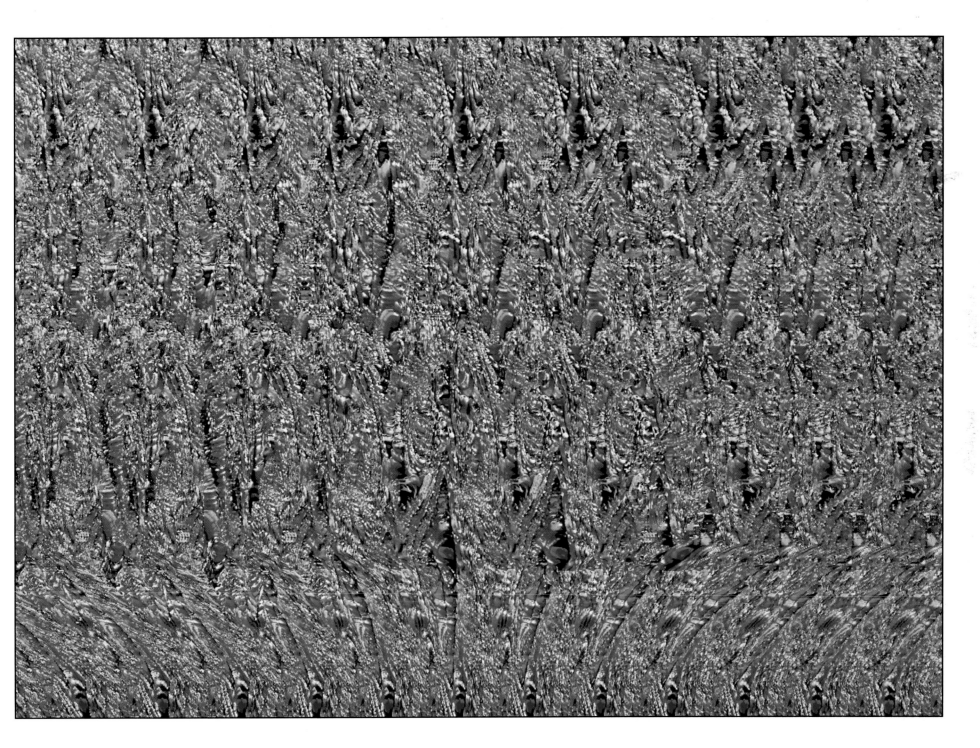

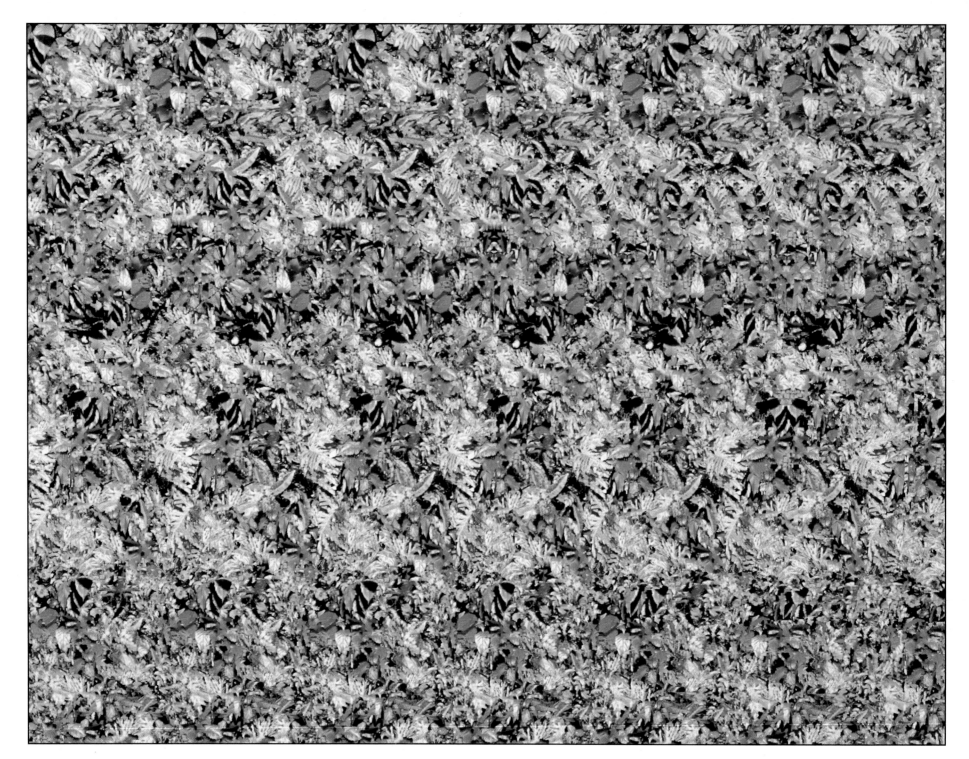

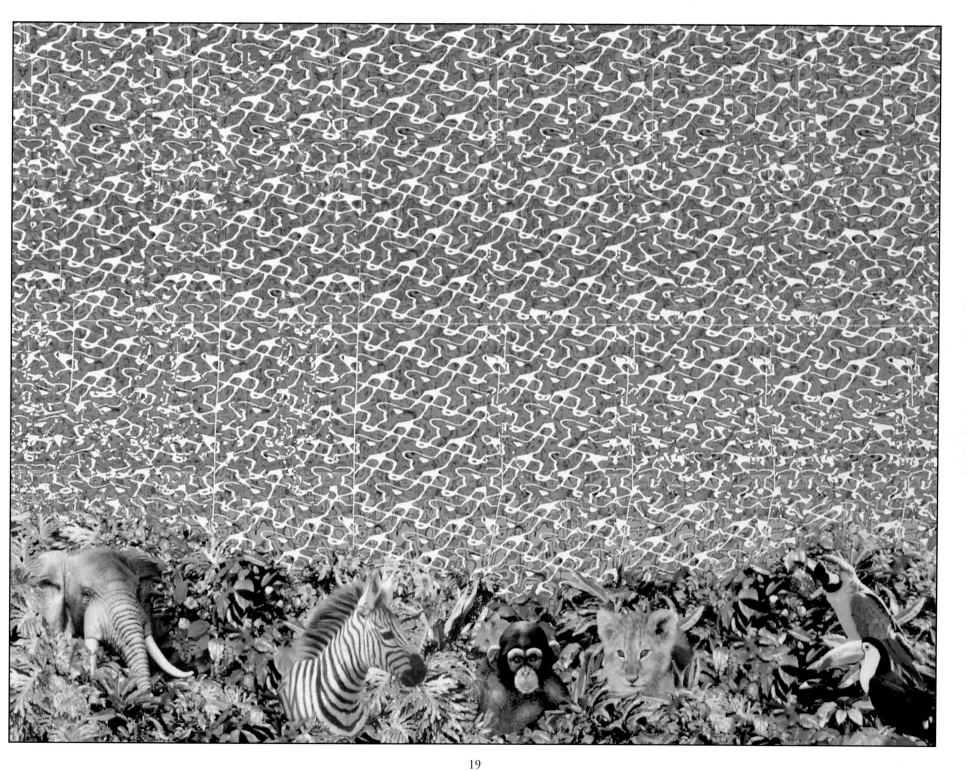

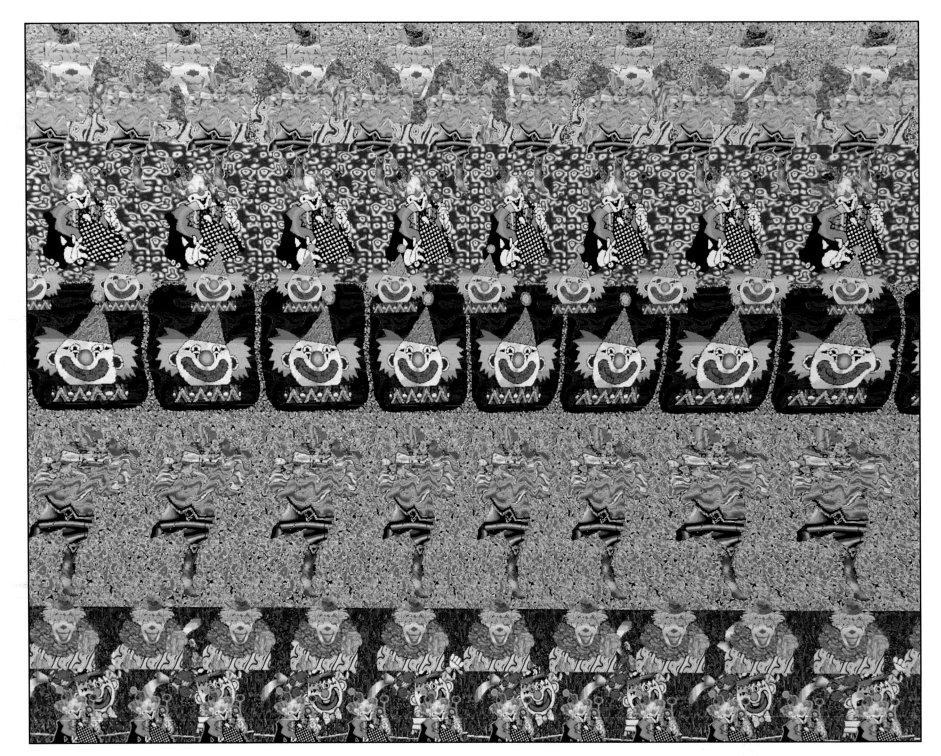

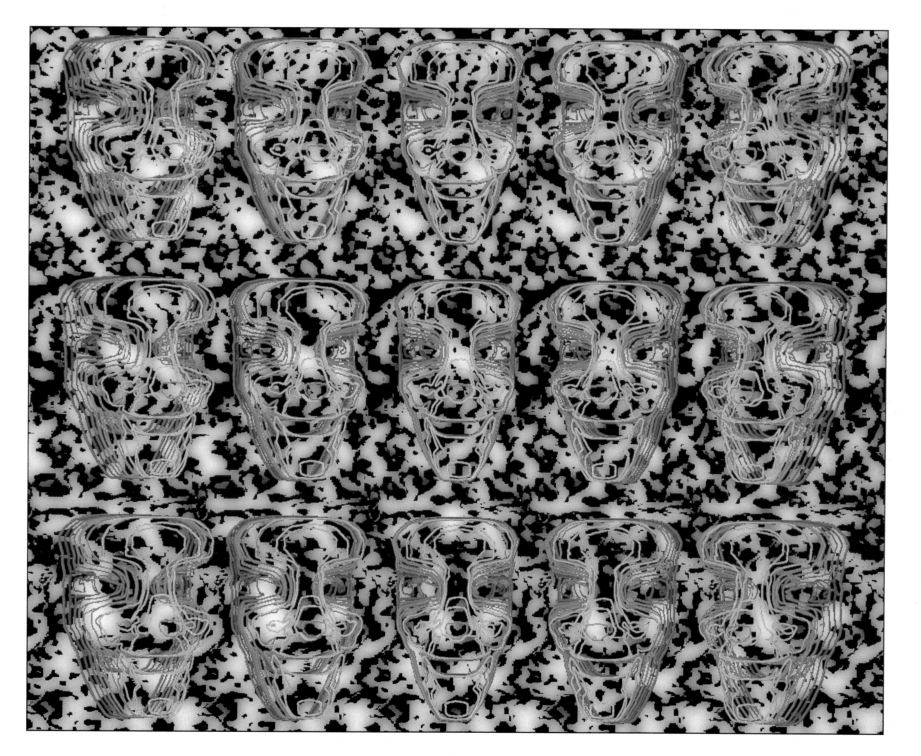

21

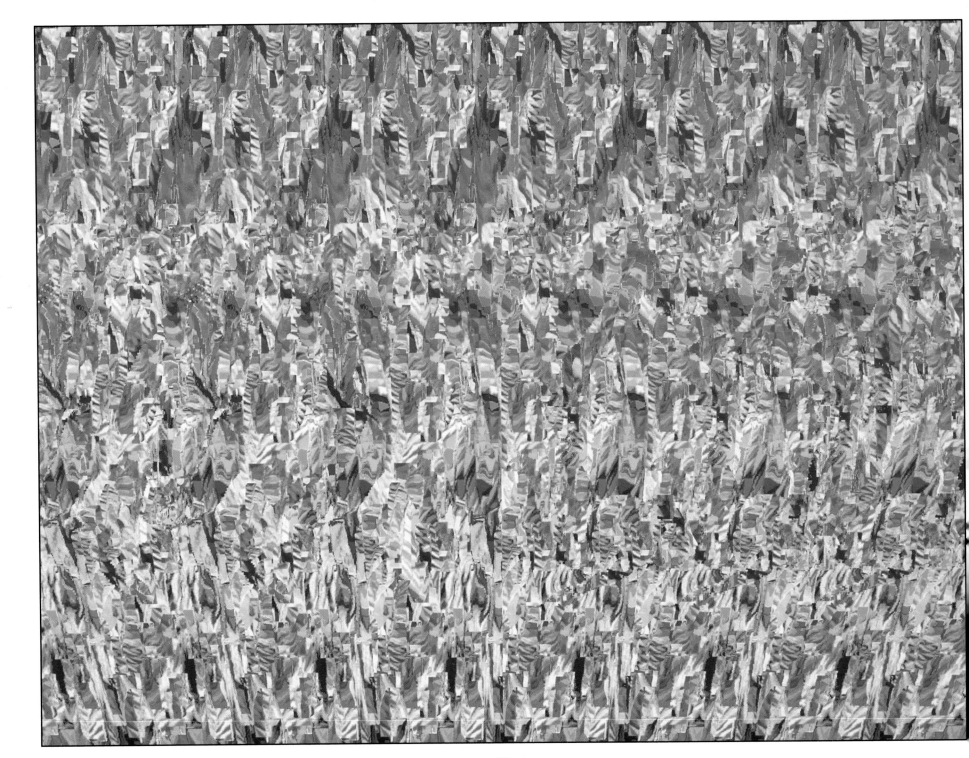

22

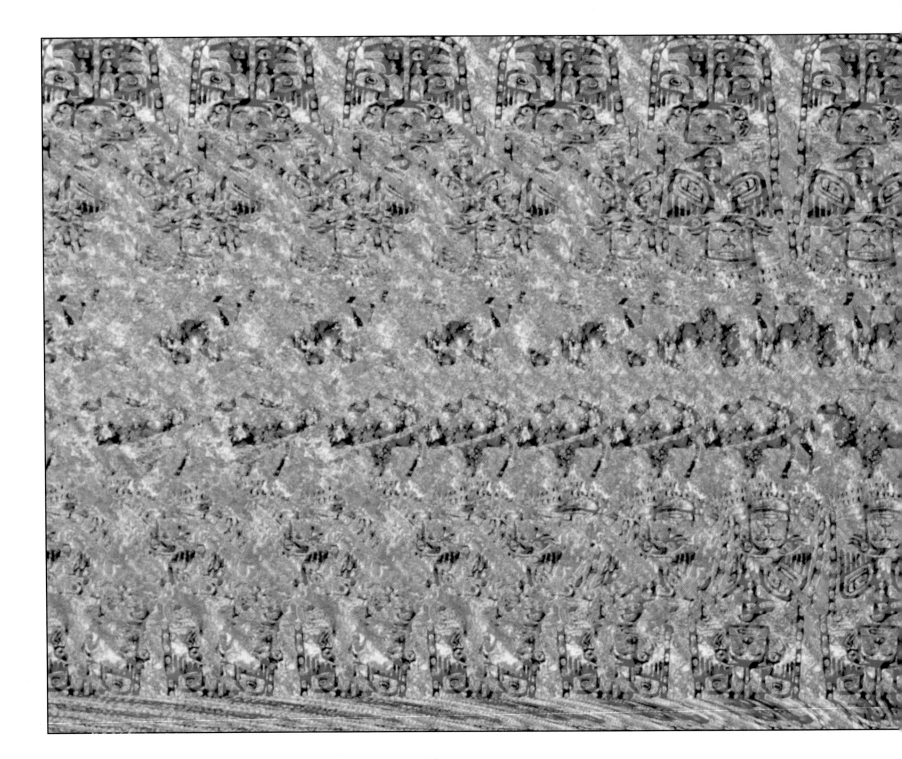

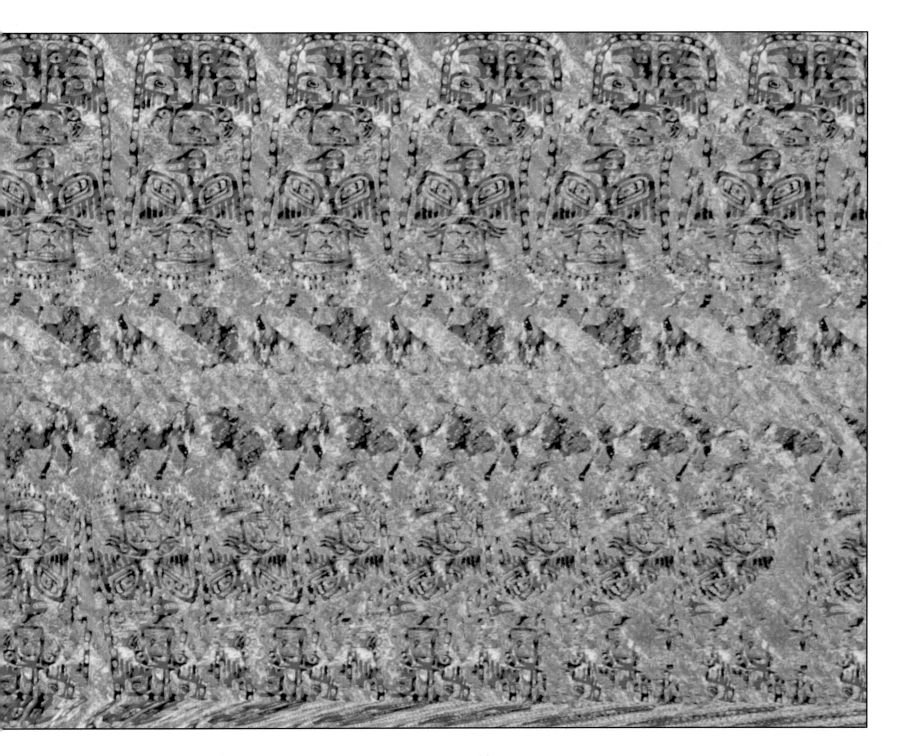

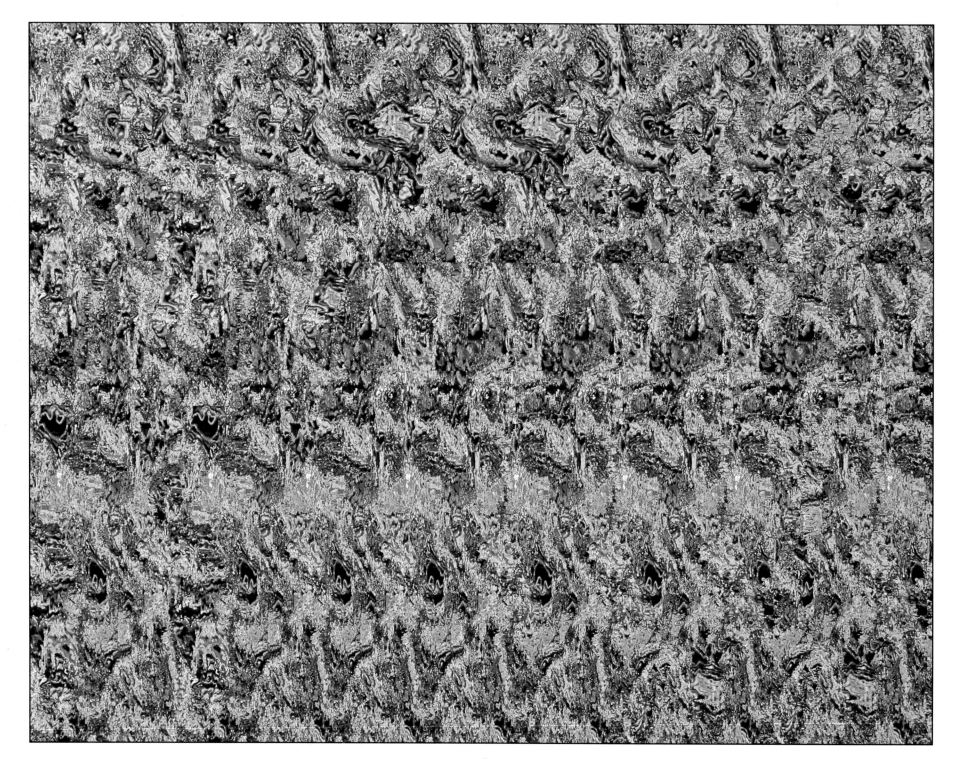

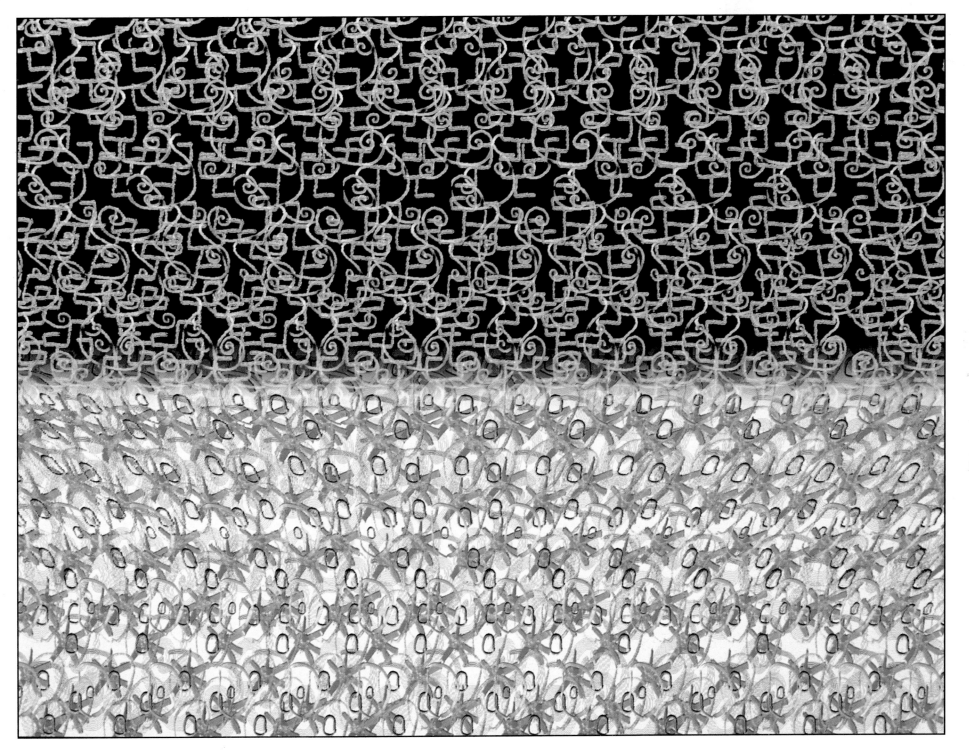

Page 5 Cône

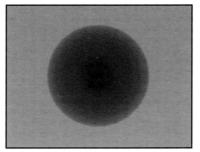

Page 6 Sphère transparente

Page 7 Bouddha
Page 8 Pas d'image cachée

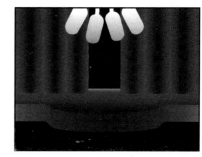

Page 9 Ballerines

Page 10 Sphinx

Page 11 Lion ailé

Page 12 Faon

Page 13 Au pays des contes

Page 14 Dinosaure

Page 15 Bébé dinosaure

Page 16 Araignée et mouche

Page 17 Attention Danger!

31

Page 18 Lapin

Page 19 Zèbres

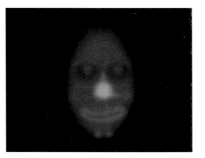

Page 20 Clown dans le brouillard

Page 21 Clown néon

Page 22 Football

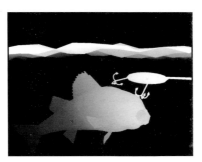

Page 23 Poisson

Page 24-25 Chasse au bison

Page 26 Statue de la liberté

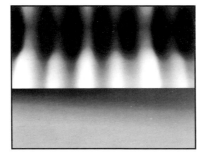

Page 27 Tapisserie à 2 et 3 épaisseurs
Page 28 Pas d'image cachée

Page 29 Aigle

Page 30 À la prochaine fois!

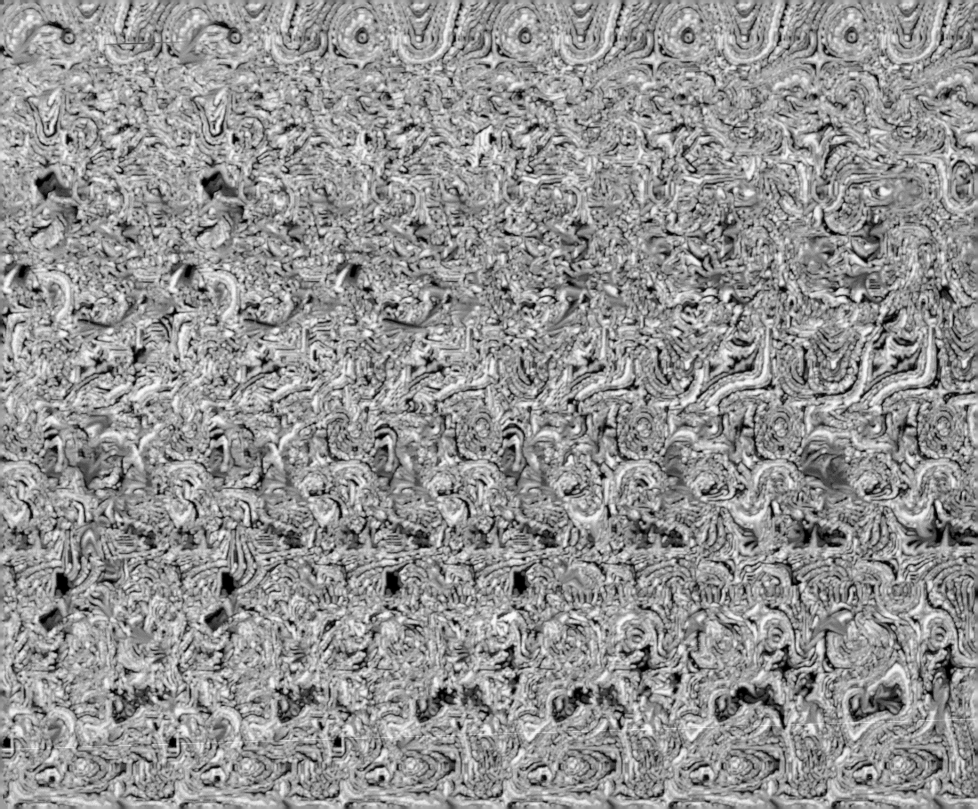

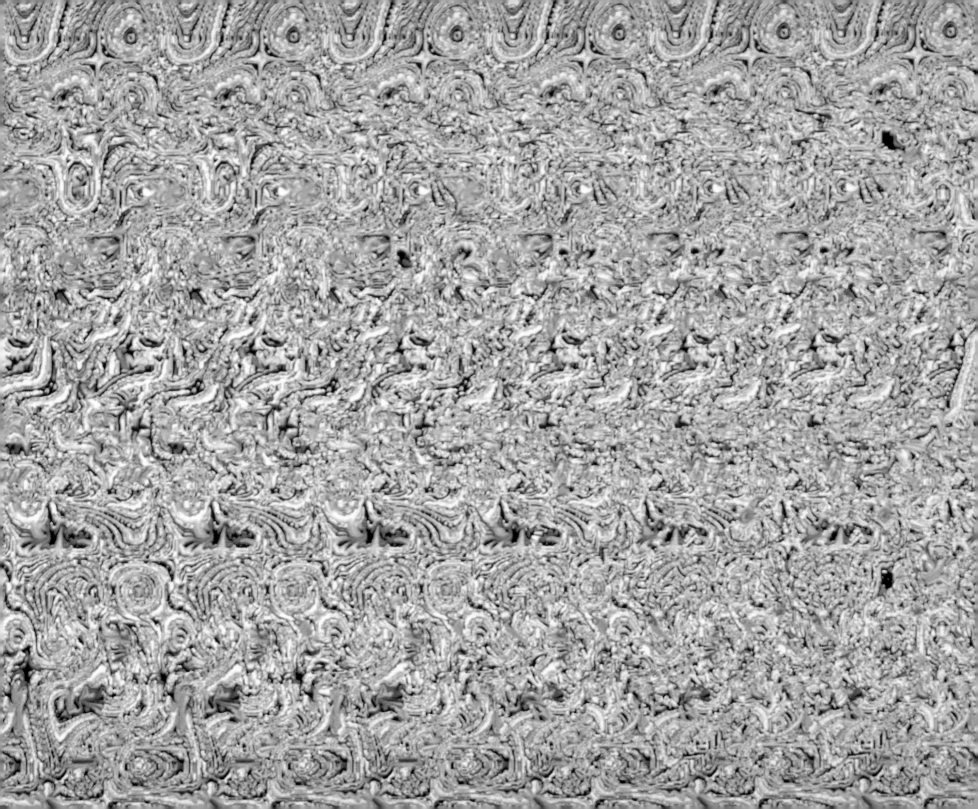